● 御廚館 ●

簡易麵食點心入門

御廚館好滋味

瑞昇文化圖書事業有限公司

目 錄 C*ontents*

簡易麵食點心入門

材料介紹

本書內列舉的材料，都是非常普遍，而且容易購買的；最大的區別在於有些材料因為翻譯的名稱不同，而造成購買上的困擾，例如：「糯米粉」，有的書籍採用「白玉粉」；「澄粉」，有的書籍稱為「上新粉」。在本書內，我們盡量將收集到的「不同名稱，但物品相同」的材料一併列舉出來，供本書的使用者能快速、便捷地購買到自己需要的材料。

另外，在香料的選購上，如香草片、丁香粉、百草粉、紹味粉、薑粉、豆蔻粉等均可在藥店或超市中買到；每一種香料，它的香味強弱都不同，使用時，一定要按照量匙、量杯做正確的步驟，做出來的成品才會好吃。添加香料不可過多，過多時會造成味道很濃，而且麻嘴等現象，所以，須特別的注意。開封，使用後的香料一定要特別注意保存，不可使香味散去。

有關本書內所使用的材料，讀者若有問題，也可直接打電話詢問。

❶ 麵粉：麵粉依不同筋性，可分為特筋、高筋、中筋、低筋。製作西點蛋糕時，高筋麵粉通常配合低筋麵粉使用，如是單獨使用，泰半是用於製作麵包。

❷ 細砂糖：糖的種類可分為冰糖、特砂糖、三溫糖、黑砂糖、細砂糖、蔗糖、楓糖、葡萄糖、糖粉等。製作西點蛋糕時常使用細砂糖，主要功能是產生甜味，使蛋糕保持柔軟度、水分、膨鬆等。

❸ 乾酵母粉：用於麵包、饅頭等發酵作用，所需時間因溫度而決定。將麵糰整型，待其完全發酵後，便可入蒸籠蒸或入烤箱烘烤。

❹ 泡打粉：(發粉、發泡粉)一般超市、食品商行都可以買到；泡打粉不用時應密封。

高筋麵粉

中筋麵粉

低筋麵粉

細砂糖

乾酵母粉

泡打粉

材料介紹 THE INGREDIENTS

❺小蘇打：用於製作餅乾、蛋糕時，
　具有鬆軟、發起麵糰的作用，幫助
　加深顏色以及香味。(不可加過多，
　以免製作出來的成品發出異味)。
❻黑芝麻：裝飾用。
❼白芝麻：裝飾用。
❽鹼粉
❾奶油：1.動物奶油(阿羅利酥油、無
　水奶油。) 2.植物奶油(人造奶油，
　如純瑪琳)；油酥也是人造油的一
　種，無味、無臭。
❿百草粉：香料的一種。
⓫丁香粉：香料的一種。
⓬紹味粉：香料的一種。
⓭薑粉：香料的一種。
⓮圓糯米粉：做年糕用的材料，米的
　本身黏度較度，質地較細。
⓯糯米粉(白玉粉)：與圓糯米粉稍不
　同，糯米粉專門用來製作糕點，以
　期達到黏Q的效果。
⓰元宵粉：與糯米粉類似。
⓱玉米粉：製作蛋糕時，可適當加入
　與麵粉調用，使蛋糕組織更細密，
　份量是5:1，不可加太多，太多會起

黏性；它的另一個功用是，可以作
布丁、奶凍。
⓲洋菜條：(洋菜粉)
⓳香草片：(香草粉)
⓴麩皮：穀物的一部分，含豐富纖維
　質，被當作健康食品。
㉑板油：人造植物油或豬油。
㉒白油：人造植物油。
㉓澄粉(上新粉)
㉔麥芽
㉕在來米粉：作用與糯米粉不同，較
　不黏Q，二者口感截然不同。
㉖SP(乳化劑)
㉗吉利丁：製作冷凍食品時，不可缺
　少的凝固劑。使用時，先浸泡片
　刻，再隔一個容器放進熱水鍋，邊
　煮邊攪溶化。
㉘甲醇：幫助糖轉化。
㉙豆蔻粉：香料的一種。
㉚桂花醬：香料的一種。
㉛熟粉：將任何一種麵粉預先用蒸籠
　蒸10分鐘，待微溫，再用粉篩過濾
　即成。

小蘇打

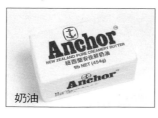

奶油

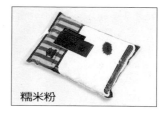

糯米粉

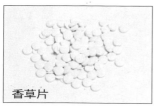

香草片

在來米粉

SP(乳化劑)

器具介紹

本書內所使用的器具都是最基本的用具，有量匙、量杯、磅秤、粉篩、平底鍋、蒸籠、烤箱及其他各種用具。

這些用具，如量杯、量匙、磅秤的功用，是讓材料在使用時較標準，不可過多或過少；同性質的材料，如麵粉、鹽等量好之後，再一同過篩，做出來的麵食才不會有麵粉粒的現象產生。量杯最好多準備幾個，量乾性材料，與量液體材料時最好分開使用。所有的用具都要保持乾淨清潔。做好任何成品後，要將所有的用具刷洗乾淨，再用乾布擦乾，千萬要記住，所有的用具都是保養重於使用。

濃奶水調合法：用三大匙奶粉加4/5杯水，調打均勻即是一杯濃奶水。

❶量匙：量微量或份量較輕的材料，如香料、酵母粉等。

❷量杯：用來量水、酒和磅麵粉、糖等。

❸磅秤：用來計算正確的使用配方，家庭使用以500 g 以下較方便。

❹不銹鋼鍋：用來攪拌與盛放材料的容器。

❺擀麵棍：有大型擀麵棍與長條擀麵棍：是擀麵時不可缺少的器具。

❻抹刀：用來抹平整型材料，如麵糊，也可用來包餡料。

❼刮刀：用來刮乾淨或拌勻麵糊之用。

❽刮板：可用來切較細軟的麵糰或刮麵糰用。

❾毛刷：將沾取的油、水或糖，刷在蔥油餅表面等。

❿手拿式電動攪拌器：1. 可分鐵絲攪

量匙

量杯

磅秤

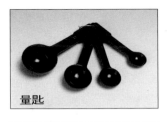

不銹鋼鍋

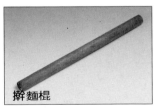

擀麵棍

抹刀

器具介紹 THE TOOLS

拌器，用來攪拌蛋或將鮮奶油打發。2.平型攪拌器，用來攪拌奶油。

⑪手拿式攪拌器：用來攪拌蛋或打發鮮奶油。

⑫桌上型電動攪拌機：體積小，屬家庭式；不但可攪拌麵糰；也可以攪拌芋泥、馬鈴薯泥等，十分方便。

⑬粉篩：所有使用的麵粉都必須過篩，做出來的麵食如銀絲捲、包子、饅頭等，才不會產生結粒現象。

⑭溫度計：製作西點蛋糕專用的溫度計，可正確測量糖液的溫度等。

⑮烤箱：是一種快速、方便、安全的烘烤用具，非常實用。

⑯蒸籠：用來蒸包子、饅頭等，竹製品較鋁製品好用。

⑰平底鍋：用來煎蔥油餅、餡餅等十分方便。

⑱龜印模型：木製品，用來壓製傳統的鳳糕片等。

刮刀

刮板

毛刷

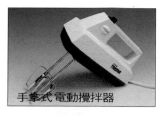

手拿式電動攪拌器

手拿式攪拌器

桌上型電動攪拌機

粉篩

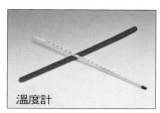

溫度計

烤箱

蒸籠

平底鍋

龜印模型

作者簡介 THE AUTHOR

胡家國

- 台灣省台北縣人
- 生於1959年，1975年開始從事西點麵包業
- 1990年從事教學工作
- 前台北市西點麵包職業工會常務理事

～現任～

家喻食品研習中心經理

中華民國烘焙技藝發展協進會理事

救國團、退輔會、婦女會、

社區、媽媽教室、福和國中烘焙老師。

斤兩與量杯的對照表

茲將斤兩與量杯的對照表列舉於後，供讀者換算時參考：

麵 粉 1 斤＝5杯	3 小 匙＝1大匙	
白棉糖 1 斤＝3又1/2杯	1 / 4 杯＝4大匙	
白砂糖 1 斤＝3又1/2杯	1 / 2 杯＝8大匙	
糖 粉 1 斤＝5杯	1 2 兩＝1磅	
紅 糖 1 斤＝4杯	1 品 脫＝2杯	
水 5 兩＝1杯	1 盎 司＝2大匙	
水 200 cc＝1杯	2 品 脫＝1夸脫	
水 13 cc＝1大匙	4 夸 脫＝1加侖	
水 4 cc＝1小匙		

老麵糰操作法　TE METHODS OF RAW PASTE

● **材料：**

低筋麵粉150ｇ、中筋麵粉50ｇ、乾酵母2ｇ、
鹽0.5ｇ、冰水100ｇ

❶將所有的材料都充分攪
拌均勻。

❷將所有的材料都充分攪
拌均勻。

❸將麵糰再搓揉(約)5分
鐘。

❹此時麵糰的表面會呈現
光滑狀有筋度。

❺將麵糰放置軟化約30
至45分鐘後會發酵至二
倍大，完成。

● **注意事項：**

1. 醒老麵糰時須注意發酵
的溫度，室溫若低於24度
以下，可放在溫度較高的
烤箱上面發酵。

2. 發酵完成的麵糰如果沒
有操作完，可以放入冷凍
庫保存，但是，最好不要
超過15天。要再操作時，
須把老麵糰完全退冰，才
可操作。

DEEP-FRIED WATER-CHESTNUT

馬 蹄 炸

● 注意事項 ●

1. 老麵糰的作法，請參照 P. 9。

2. 搓揉好的麵皮須軟化方可操作。

3. 炸油須熱至筷子插入會起泡，才可放入油炸。

馬蹄炸 DEEP-FRIED WATER-CHESTNUT

● **材料**

A料：中(高)筋麵粉400ｇ、細砂糖70
～75ｇ、小蘇打1ｇ、清水180ｇ、泡
打粉5ｇ、老麵糰50ｇ、鹼粉0.1ｇ

B料：細砂糖20ｇ、低筋麵粉20ｇ、
清水8ｇ、黑芝麻2ｇ、白芝麻2ｇ

● **作法**

❶將材料(A)中的1～7項
攪拌均勻，約5～10分鐘
後，麵糰會呈柔軟狀。
然後再放置半小時讓麵
糰鬆弛軟化。

❷將材料(B)中的細砂
糖、低筋麵粉、清水、
黑芝麻、白芝麻一起攪
拌均勻備用。

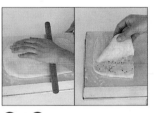

❸將❶中發酵完成的麵
糰，放在砧板上擀成寬
約8公分的長度，對切
後，中間加❷中預拌好
的餡料，將麵皮重疊覆
蓋。

❹將重疊、夾有餡料的
麵皮再軟化1小時後，切
成寬4公分，斜5公分的
菱形。

❺在菱形狀的最尖形角
上端戳一小洞，將尖角
由下往上輕輕從洞上穿
出，即可成馬蹄形狀。

❻準備熱油鍋，將雙胞
胎放入油鍋中，以中火
炸到兩面金黃色就可以
了。

FRIED BREAD

窩 絲 餅

材料

● **注意事項**

1. 蒸馬鈴薯的時間要久一點，才不致在攪拌時成顆粒狀。

2. 麵糰完成後，表面要覆上保鮮膜或濕毛巾。

窩絲餅 FRIED BREAD

● 材料

A 料： 馬鈴薯泥300 g、低筋麵粉150 g、乾酵母1 g、鹽0.3 g

B 料： 低筋麵粉450 g、細砂糖150 g、滾水180 g、奶油70 g、沙拉油15 g、黑胡椒10 g

● 份量

約8個

❶首先，將材料(A)中的馬鈴薯削皮洗淨，再切成片狀，放在蒸籠(或電鍋、炒菜鍋)內蒸熟，再打成泥。

❷將冷卻後的馬鈴薯放入鋼盆，再加材料(A)中的低筋麵粉、乾酵母、鹽一起用擀麵棍充分攪拌均勻。

❸將充分攪拌好的麵糰拿出，用力揉搓5分鐘。

❹此時，麵糰表面會呈光滑狀，完成後，蓋上保鮮膜，軟化約30分鐘。

❺然後，將材料(B)中的低筋麵粉和細砂糖攪拌均勻，加入滾水再攪拌。

❻待❺冷卻後，加入❸軟化完成的麵糰，一起攪拌均勻，再加入奶油攪拌均勻，放置軟化20分鐘。

❼將軟化20分鐘的麵糰分割，重量1個約150 g。

❽再將分割的麵糰滾圓，放置10分鐘後，用擀麵棍擀開，中間擦拭沙拉油，均勻灑上胡椒粒。

❾將❽捲成圓條形再擀開。擀好後放入平底鍋，用小火煎約20分鐘，煎時表面擦拭沙拉油。

❿將煎熟的餅拿起，先往下壓；再左手拿熟絲餅，右手拿擀麵棍邊敲邊轉成絲狀即可。

GREEN ONION CHINESE PANCAKE

蔥 油 餅

● **注意事項** ●

老麵糰的作法，請參照P.9。

蔥油餅 GREEN ONION CHINESE PANCAKE

● **材料**

中筋麵粉400ｇ、鹽5ｇ、糖粉10ｇ、
開水250ｇ、老麵糰50ｇ、冰水50ｇ、
沙拉油70ｇ、蔥花180ｇ

● **作法**

❶將中筋麵粉、鹽、糖
粉預先攪拌均勻後加入
開水，再用擀麵棍充分
攪拌。

❷加入老麵糰攪均勻；
然後，冰水分3次，沙拉
油分3次加入，拌至均
勻。

❸放置1小時後，將麵糰
分割成每個重約75ｇ，
滾圓再軟化10分鐘。再
將麵糰搓長擀開。

❹在麵皮中間灑蔥花後
捲起，再鬆弛10分鐘。

❺用擀麵棍將鬆弛軟化
的麵糰擀圓。

❻用文火煎，煎時用毛
刷在餅的表面刷油2次，
煎熟的餅會更加酥脆。

OIL-GRILL TURNIP CAKE

蘿蔔絲餅

●注意事項●

使用烤箱時，需注意全火200度。

16

蘿蔔絲餅 OIL-GRILL TURNIP CAKE

● 材料

A料：蘿蔔絲1200g、三層肉(肉絲)600g、胡椒粉30g、薑粉10g、鹽15g、細砂糖10g、香油5g、清水50g

B料：低筋麵粉600g、糖粉100g、豬油200g、滾水230g、乾酵母2g

● 份量
約35個

● 作法

❶先將白蘿蔔削皮，洗淨，刨成絲，再用熱水燙過，撈起放涼，再擠乾備用。

❷將低筋麵粉和糖粉攪拌均勻，倒入開水，再加入豬油及乾酵母充分攪拌均勻。

❸將攪拌均勻的麵糰放置，發酵至軟化。

❹將發酵完成的麵糰分割，每個麵糰重30g後，將小麵糰滾圓，再擀成圓形皮，備用。

❺將三層肉用果汁機攪到有筋度，加一杯水拌勻，蘿蔔絲及調味料全部加入，拌勻後，將皮餡(70g)包起來。

❻收口朝下，放在平底鍋上用文火煎熟即可(也可放入烤箱)。

DEEP-FRIED SESAME BALL

芝 麻 球

● 注意事項 ●

1. 白芝麻在使用前，必須先洗淨、烤乾。

2. 先用溫火油炸芝麻球至浮起，再開大火油炸至熟。

3. 如沒玉米澱粉，可改用太白粉或玉米粉。

芝麻球　DEEP-FRIED SESAME BALL

● **材料**

A料：元宵粉400 g、地瓜泥100 g、
糖90 g、小蘇打2.5 g、滾水200 g、
玉米澱粉30 g

B料：
白芝麻150 g、豆沙530 g、蜜紅豆70
g

● **份量**
約30個

● **作法**

❶將材料(A)中的元宵
粉、地瓜泥、糖、小蘇
打一起放入鋼盆內。

❷倒入滾水200 g後，用
擀麵棍將材料拌均勻。

❸冷卻後，用水或攪拌
機攪至有Q度，再加入
玉米澱粉充分攪拌。

❹將❸完成的麵糰，分
割成每個25 g，包入材
料(B)中2～3項拌勻的餡
料(約30 g)。

❺完成包好餡的麵糰後，
沾水，再滾白芝麻，即可
入油鍋炸。

YOUKAN

羊　羹

用洋菜條須浸半小時後再加100ｇ的水，

煮約30分讓洋菜融化，再續加糖、麥芽。

羊羹 YOUKAN

● **材料**

洋菜粉(條)10 g 、清水600 g 、細砂糖300 g 、麥芽25 g 、豆沙餡450 g

● **作法**

❶先將洋菜泡軟，煮約15分鐘，完全煮溶後，再加入細砂糖及麥芽，共煮至110度。

❷不熄火，再把豆沙餡加入，攪拌至呈黏性。

❸使用溫度計測量，直至溫度達115度後，離火，備用。

❹把❸倒入預先準備好的容器內(底部需先擦拭沙拉油)。

❺等羊羹冷卻後，再取出，切成條狀即可。

EGG CAKE

雞　蛋　糕

● 注意事項 ●

烘烤時間與溫度：全火230度15分鐘

雞蛋糕 EGG CAKE

● 材料

雞蛋4個、細砂糖150ｇ、鹽1ｇ、奶水
200ｇ、清水100ｇ、香草片2片、泡打
粉10ｇ、低筋麵粉450～500ｇ、清水
適量

● 作法

❶預先將雞蛋、鹽打至3
分發。

❷再將細砂糖加入，打
至散，再加入奶水、清
水、香草片、泡打粉，
繼續打均勻。

❸加入低筋麵粉，打到
呈黏稠狀(將麵糰用攪拌
器拉起來，如呈黏稠
狀，較不易自器具上滑
落)。

❹.清水視麵糊情況酌加
即可。

❺準備雞蛋糕的模型容
器，在容器的底部預先
抹奶油，然後，把麵糊
倒入容器內。

❻最後，蓋上蓋子，放
入烤箱(或瓦斯台)烘烤即
成。

開口笑 KAI KOU HSIAO

● **材料**

奶油30ｇ、糖粉150ｇ、全蛋2個、鹽2ｇ、泡打粉4ｇ、清水70ｇ、低筋麵粉270ｇ、白芝麻150ｇ

● **份量**

約25個

● **作法**

❶將奶油、糖粉及1/2個全蛋拌勻,再將剩餘的1/2個全蛋分3次加入,攪至均勻。

❷再將鹽、泡打粉及清水分3次慢慢加入,攪拌均勻。

❸最後,再加入低筋麵粉攪拌均勻,再搓揉至麵糰呈光滑狀。

❹將麵糰分割成每個20ｇ重後,搓圓。

❺先將白芝麻浸水,再過濾瀝乾;再將20ｇ重的圓麵糰放在白芝麻上裹沾均勻(白芝麻預先浸水,再瀝乾備用)。

❻熱油鍋,油溫可用筷子試試,若起泡,再將芝麻球放入油鍋中炸熟即可。

MISCELLANEOUS GRAIN STEAMED BREAD

雜糧饅頭

材料

● **注意事項**

1. 麩皮、燕麥同屬顆粒狀，較易切斷麵皮的筋度，所以，只要搓勻即可。

2. 老麵糰的作法，請參照 P. 9。

雜糧饅頭 MISCELLANEOUS GRAIN STEAMED BREAD

● 材料

A料：中筋麵粉250g、低筋麵粉50g、細砂糖80g、
奶油15g、乾酵母5g、鹼粉1g、冰水160g、老麵糰
100g、麩皮30g、燕麥20g、冰水20g、葡萄乾15g

B料：葡萄乾300g、核桃20g

● 份量

約10個

❶將材料(A)中的中筋麵
粉、低筋麵粉、細砂糖、
奶油、乾酵母、鹼粉、冰
水共攪均勻。

❷約3分鐘後，再加入老麵
糰。

❸將加入老麵糰的麵糰，
充分搓到麵糰表面均勻光
滑。

❹把預先炒熟的麩皮及燕
麥拌入❸完成的麵糰內。

❺再加入冰水及切碎的葡
萄乾，一起搓均勻。

❻將❺完成的麵糰，分割
成每個重約70g的麵糰。

❼將麵糰整型滾圓，再發
酵20分鐘。

❽將材料(B)中的葡萄乾、
核桃切碎，作餡料，在麵
糰內包入餡料約30g，收
口，整型搓圓後，底部襯
蠟紙，軟化40分鐘。

❾最後，將蒸籠準備好，
放入發酵完全的饅頭，以
中火蒸約12分鐘，饅頭香
味溢出，即成。

MILK STEAMED BREAD

鮮奶小饅頭

● 注意事項 ●

1. 老麵糰的作法，請參照P. 9。

2. 鮮奶攪拌時較易發熱，可先把鮮奶放入冷凍庫，
   冰至結晶狀時，再倒入攪拌。

鮮奶小饅頭 MILK STEAMED BREAD

●**材料**

中筋麵粉200 g、低筋麵粉100 g、細砂糖30 g、奶油5 g、酵母粉5 g、鹼粉0.5 g、鮮奶260 g、老麵糰70 g

●**份量**

約30個

● **作法**

❶將中筋麵粉、低筋麵粉、細砂糖、奶油、乾酵母、鹼粉、鮮奶一起攪拌均勻。

❷將攪拌均勻的麵糰放置軟化約3分鐘後，搓開，加入老麵糰。

❸將加入老麵糰的麵糰充分搓至表面光滑，有筋度。

❹用擀麵棍將❸的麵糰，反覆壓平，約6次，再壓齊至0.3公分厚。

❺捲起搓成圓長條形，用手輕壓表面，使麵皮平均定形；再切成重約20 g的麵糰，放置25分鐘。

❻麵糰底部襯蠟紙，入蒸籠以中火蒸10分鐘(若用微波爐，底部放水，蒸4分鐘)，即成。

STEAMED ROLLS

花 捲

● 注意事項

老麵糰參照 P. 9。

● 份量

約12個

花捲 STEAMED ROLLS

● 材料

A料：中筋麵粉300ｇ、細砂糖40ｇ、鹽1.5ｇ、沙拉油2ｇ、乾酵母3ｇ、鹼粉0.5ｇ、冰水160ｇ、老麵糰80ｇ

B料：蝦皮50ｇ、白蘿蔔絲30ｇ、蔥150ｇ、沙茶3ｇ、鹽、糖、白胡椒粉各1ｇ

❶將材料(A)完全攪拌均勻。

❷再搓3～5分鐘，至麵糰表面呈現光滑狀。

❸將❷中完成的麵糰搓開，再將老麵糰加入，搓揉至麵糰呈現光滑(如用壓麵機，壓至光滑即可)。

❹將軟化的麵糰切割成每個重45ｇ的麵糰後，將麵糰搓圓，發酵5～10分鐘。

❺將已發酵5～10分鐘的麵糰，用擀麵棍擀長、整型。

❻蝦皮浸水洗淨瀝乾，油炒後盛起。另炒白蘿蔔絲，加入蝦皮與3～6項的佐料後，抹在❺的麵皮上。

❼將裹餡料的麵皮，兩邊輕輕捲起。

❽用平刀由中間切斷。

❾將切斷的兩塊麵糰放重疊。

❿從中間用筷子壓一下，不要壓得太緊，或用筷子直壓，並用刀將表面割細紋狀。

⓫最後，放入蒸籠，發酵軟化10分鐘，再以中火蒸熟(約10分鐘)即可。

SMALL STEAMED BUN
小籠包

● 注意事項 ●

1. 老麵糰的作法，請參照P.9。

小籠包 SMALL STEAMED BUN

● **材料**

A料：中筋麵粉150g、細砂糖10g、鹽1g、泡打粉2g、乾酵母4g、冰水80g、老麵糰20g

B料：胛心肉150g、板油150g、醬油35g、糖6g、香油20g、水50g、蔥花100g

● **份量**

約35個

● **作法**

❶將做麵皮的材料(A)的中筋麵粉、細砂糖、鹽、泡打粉、乾酵母、冰水一起攪拌均勻。

❷在步驟1中的麵糰內加入老麵糰，繼續將麵糰搓到表面均勻、光滑。

❸再把步驟2中完成的麵糰分割成每個重約7g，再發酵軟化15分鐘，然後，用手掌將麵糰壓平。

❹用擀麵棍將皮擀成邊薄中間厚(預防小籠包入蒸籠蒸熟後的湯汁會使薄皮破掉)。

❺將餡料攪拌均勻，放冷凍，包時拿出退冰拌蔥花。將餡料13g包入麵皮內，先由邊拉高，邊拉邊摺，再摺入收口。

❻將小籠包放入蒸籠內(蒸籠底要放透氣良好的布)，再發酵10分鐘後，用中火蒸8分鐘即可。

STEAMED STUFFED-BUN
包　子

材料

● **注意事項**
老麵糰的作法，請參照 P. 9。

包子 STEAMED STUFFED-BUN

● 材料

A 料：中筋麵粉600 g 、細砂糖50 g 、鹽3 g 、白油10 g 、沙拉油5 g 、乾酵母10 g 、冰水300 g 、鹼粉2 g 、老麵糰100 g

B 料：絞肉300 g 、高麗菜450 g 、荸薺25 g 、桶筍25 g 、香菇25 g 、薑粉5 g 、香油25 g 、鹽5 g 、糖8 g 、胡椒粉10 g 、醬油50 g

● 份量

約20個

❶先將材料(A)中的中筋麵粉、細砂糖、鹽、白油、沙拉油、乾酵母、冰水、鹼粉一起攪拌均勻。

❷在❶中完成的麵糰內加入老麵糰。

❸搓至麵糰表面均勻光滑後備用(詳細的搓揉法請參考P.39，一口螺絲捲)。

❹高麗菜洗淨，切丁，脫水備用(同時,將絞肉攪拌少許乳白、荸薺、桶筍、香菇洗淨，切丁)。

❺將擰乾水分的高麗菜丁與絞肉(或三層肉)、調味料一起攪拌均勻，備用。

❻把❸完成的麵糰分割成每個重50 g ，然後，滾圓，發酵15分。

❼用擀麵棍將滾圓發酵的麵糰擀開，準備包餡。

❽將步驟5中已攪拌入味的餡料約35 g 包入麵皮內，輕捏花樣，整型。

❾包子的底部鋪蠟紙，放在室溫約28度的地方，任其發酵45分鐘後，放入蒸籠，以中火蒸15分鐘，有香味溢出即成。

FRIED BUNS

水 煎 包

材料

●**材料**

A料：中筋麵粉500ｇ、低筋麵粉
100ｇ、鹽5ｇ、細砂糖60ｇ、奶油
25ｇ、乾酵母6ｇ、鹼粉1ｇ、冰水
280ｇ、老麵糰150ｇ

B料：三層肉(絞肉)500ｇ、高麗菜
400ｇ、鹽8ｇ、細砂糖15ｇ、香油
20ｇ、蒜泥5ｇ、薑粉5ｇ、白胡椒
粉15ｇ、醬油30ｇ、清水50ｇ

水煎包　FRIED BUNS

● **注意事項**

1. 水煎包入鍋的時候最好排緊，煎熟時，麵皮才比較Q。

2. 老麵糰的作法，請參照 P.9。

● **份量**

約20個

❶ 先將材料(A)中的1～8項倒在鋼盆內，一起攪拌均勻，發酵5分鐘。

❷ 在❶完成的麵糰內加入老麵糰，繼續攪拌至麵糰表面光滑，然後放置發酵、軟化30分鐘。

❸ 此時，將材料(B)中的高麗菜洗淨、切丁，再將水分擠出。

❹ 將絞肉預先攪拌至鬆軟後，加入高麗菜丁、以及9～10項的調味料一起拌勻，備用。

❺ 將❷完成發酵30分鐘的麵糰分割成每個重約50ｇ的麵糰，將麵糰滾圓、整型，再發酵20分鐘。

❻ 等麵糰軟化後，先用手壓平再用擀麵棍擀成薄皮，準備包餡。

❼ 在每張麵皮內包入45ｇ重的餡料。

❽ 將包好餡的水煎包任其發酵約5分鐘。

❾ 平底鍋預先倒油，再將已發酵5分鐘的水煎包底部朝下，放入平底鍋 (要將鍋中的水煎包排緊)。

❿ 將水煎包排滿後，倒入50ｇ的清水，蓋上蓋子，以中火煎15分鐘。

⓫ 15分鐘後，掀蓋，用夾子再翻面，再煎半分鐘，使表面熟透。

Meat SHAO MAI (Steamed Cantonese Stuffed-Bun)

鮮肉燒賣

材料

●份量
約10個

鮮肉燒賣 Meat SHAO MAI (Steamed Cantonese Stuffed-Bun)

● **材料**

A料：中筋麵粉60ｇ、鹽0.5ｇ、糖1ｇ、開水30ｇ、
蛋清5ｇ、鹼粉0.2ｇ

B料：上肉300ｇ、桶筍50ｇ、蔥末10ｇ、鹽3ｇ、
水10ｇ、糖5ｇ、胡椒粉1ｇ、麻油1ｇ、什錦豆30
ｇ、粉絲10ｇ

❶先將材料(A)的中筋麵粉、鹽、糖倒入鋼盆內，再加入 30ｇ開水攪拌均勻。

❷在已完成的❶中加入蛋清、鹼粉繼續攪拌均勻，直到麵糰表面呈光滑狀。

❸再將攪拌完成的麵糰醒30分鐘。

❹將醒好的麵糰搓長，再分割成每個重7ｇ，滾圓，用手輕壓，整型。

❺然後，將輕壓過的麵糰，用擀麵棍擀成薄的圓形皮後備用。

❻將材料(B)中的上肉絞成泥，桶筍洗淨切丁，與蔥末、鹽、水、糖、胡椒粉、麻油拌呈黏狀備用。

❼在擀開的圓形皮內，包入拌好的餡料，將皮捏緊，開口朝上，捏成橢圓形，底部再墊蠟紙。

❽在成型的鮮肉燒賣上裝飾青豆仁、玉米粒、紅蘿蔔及泡軟切細的粉絲。

❾將成品放入蒸籠內(底層墊透氣良好的布)，用中火滾水蒸10分鐘至熟。

CHIVE POCKETS
韭菜盒子

材料

● **材料**

A料：中筋麵粉300 g、細砂糖50 g、滾水120 g、馬鈴薯泥100 g、老麵糰50 g

B料：韭菜350 g、粉絲150 g、蝦皮20 g、豆腐干100 g、香油20 g、鹽3 g、細砂糖10 g、白胡椒粉3 g、薑粉5 g、小麥澱粉15 g

韭菜盒子 CHIVE POCKETS

● **份量**

約10個

❶馬鈴薯洗淨、切片,然後放入蒸籠內蒸熟(馬鈴薯一定要蒸熟透,拌成泥時才不會有顆粒狀),備用。

❷再將材料(A)中的中筋麵粉、細砂糖攪拌均勻後,再慢慢加入滾水繼續攪拌。

❸把已蒸熟的馬鈴薯泥倒入鋼盆內,繼續攪拌均勻後,再放置冷卻。

❹把❷中已冷卻的麵糰搓開,加入老麵糰。

❺將包入老麵糰的麵糰放在砧板上搓均勻,直到表面呈現光滑後,再放置發酵一個小時。

❻將發酵完成的麵糰,分割每個重75g,再用擀麵棍將麵糰擀成圓形。

❼再將材料(B)中的粉絲用冷水泡軟後,再用滾水燙過濾乾,備用。

❽將韭菜洗淨切丁,蝦皮泡水、瀝乾,入鍋中炒香;豆腐干切丁,加上5~10項的調味料一起拌均。

❾將餡料約80g,包入步驟6中完成的圓形皮內。

❿將圓形皮摺過來收口時,用手捏成半月形。

⓫最後,平底鍋抹油,將韭菜盒子放入平底鍋,用小火煎至底部上色,再翻面煎熟即可。

LEAF-LARD DUMPLING

水 晶 餃

材料

● 材料

A 料：澄粉 4 0 g 、綠豆澱粉 2 0 g 、豬油 2 g 、開水 7 5 g

B 料：蝦米 1 0 0 g 、筍絲 9 0 g 、香菇末 6 0 g 、香菜末 6 0 g 、花生粉

水晶餃 LEAF-LARD DUMPLING

30g、鹽3g、糖10g、
胡椒粉1g

● **份量**
約10個

❶先將材料(A)中的澄粉、
綠豆澱粉、豬油倒入鋼盆
內，一起攪拌。

❷在❶完成攪拌的鋼盆內
慢慢加入開水。

❸然後，要繼續攪至麵糰
均勻有Q度，攤開待冷
卻。

❹將麵糰拿出，放在砧板
上持續不停地搓揉(這一點
非常的重要，關係著麵糰
的Q度)。

❺將❹中的麵糰放置軟化
；此時，才算完成皮的作
法。

❻將蝦米用水泡軟，再加
入筍絲、香菇末、香菜末、
花生粉、鹽、糖、味素、胡
椒粉一起拌均。

❼將❺中完成的麵糰，分
割成每個重約12g後，搓
圓整型。

❽再將12g的麵糰，先用
手輕壓扁，再用擀麵棍擀
成薄皮。

❾在麵皮內適量包入步驟6
中完成的餡料。

❿最後，在收口處輕輕捏
出花型。

⓫準備蒸籠，蒸籠底墊透
氣良好的布，再將完成的
水晶餃放蒸籠內，蓋密，
蒸15分鐘，即成。

INAK HOKOUTZU (Japanese Cookie)
伊那甲和果子

● **注意事項** ●

紅豆餡的作法，請參照 P. 62。

伊那甲和果子 INAK HOKOUTZU (Japanese Cookie)

● **材料**

蛋清20 g、糖粉60 g、鹽0.5 g、玉米粉15 g、澄粉20 g、紅豆餡1300 g

● **份量**

約24個

● **作法**

❶先將蛋清預先打膨脹至乾性發泡。

❷再均勻加入糖粉及鹽、再打至膨脹光滑、呈白色，時間大約3分鐘。

❸此時，再加入玉米粉及澄粉攪拌均勻，至有些乾性，就算完成了。

❹將❸中完成的麵糰，分割成每個約5 g重後，用擀麵棍將麵糰擀成皮。

❺包餡時，左手底部沾澄粉當手粉；右手拿刮刀，將50 g紅豆餡由邊輕輕壓入，右手將麵皮往上推，再收口。

❻準備蒸籠，底部舖蠟紙，將完成品的收口朝下，底部朝上放入蒸籠，以大火蒸7分鐘至熟。

CHESTNUTS MINGKOU (Japanese Cookie)

栗子銘果

材料

● **注意事項**

烤箱底部須隔烤盤，以全火180度
烘烤。

● **份量**

約25個

栗子銘果 CHESTNUTS MINGKOU (Japanese Cookie)

● 材料

A料：低筋麵粉200ｇ、糖粉75ｇ、奶油55ｇ、鹽1ｇ、全蛋1個、蜂蜜25ｇ、煉奶70ｇ、泡打粉2ｇ

B料：栗子600ｇ、細砂糖150ｇ、奶油30ｇ、奶粉15ｇ

❶先將材料(A)中的糖粉和奶油攪拌均勻，再將全蛋分二次加入拌均勻，然後，再加入煉乳拌均勻。

❷蜂蜜也分二次均勻加入，最後，再加入泡打粉拌均勻即可。

❸將❷中完成攪拌的材料與低筋麵粉和已軟化的奶油再輕輕攪拌均勻(防止其出筋)。

❹同時，將栗子洗淨浸水3小時後，放入鍋中(或電子鍋中)熬煮至栗子有香味溢出，即可拿出，待冷卻。

❺將已濾乾水份、冷卻的栗子倒入鋼盆內攪碎。

❻將攪碎的栗子放入鍋中炒熱後加入細砂糖、奶油攪拌均勻，再加入奶粉攪拌均勻，備用。

❼將❸中完成的麵糰搓長後，再分割成每個重20ｇ的小麵糰，滾圓，整型。

❽在麵糰內包餡40ｇ，捏好後，收口朝下，底部朝上，用手輕輕壓平，前端再輕搓成尖形。

❾將搓成形的完成品底部沾上白芝麻，再放入烤盤內。

❿表面用毛刷均勻刷上蛋黃液。

⓫再放栗子做裝飾，烤箱底部隔一個烤盤，以全火180度烤20分鐘即成。

QQ SWEET POTATO BALL
QQ蛋蕃薯球

● 注意事項 ●

如果蕃薯泥用絞肉機的方式擠壓，油炸時可邊壓邊炸，

炸熟的蕃薯球咬勁較Q。

QQ蛋蕃薯球 QQ SWEET POTATO BALL

● **材料**

蕃薯50ｇ、糯米粉75ｇ、滾水35ｇ、糖粉20ｇ、澄粉35ｇ、泡打粉2ｇ、玉米澱粉20ｇ

● **份量**

約15個

● **作法**

❶首先，將蕃薯削去皮後，以蒸籠(或電鍋)蒸熟。

❷將蒸熟的蕃薯倒入鋼盆內，加入糯米粉、糖粉、澄粉、泡打粉後拌攪至均勻，加入滾水攪拌，冷卻後，再加入玉米澱粉拌勻。

❸將步驟2中完成的蕃薯泥拿出，放砧板上搓勻，搓密實。

❹再將搓長的蕃薯泥，分割成每個約20ｇ重後，滾圓，整型。

❺熱油鍋，油熱至以筷子插入會起泡時，將蕃薯球放入油鍋中油炸至熟，即可。

MOCHI

麻 糬

● 注意事項 ●

紅豆餡的作法，請參照 P. 63。

麻糬 MOCHI

● **材料**

A料：糯米粉300ｇ、太白粉50ｇ、水300ｇ

B料：麥芽20ｇ、清水30ｇ、細砂糖200ｇ、蛋清20ｇ、太白粉100ｇ、紅豆餡150ｇ

● **作法**

❶先將材料(A)中的糯米粉、太白粉、水倒入鋼盆內，一起攪拌均勻。

❷將攪拌均勻呈糊狀的麵糰放入蒸籠內蒸，蒸熟後放入鋼盆內，備用。

❸將材料(B)中的麥芽、清水、細砂糖共煮到115度，倒入打至膨脹的蛋白，攪拌至呈白色。

❹將❷中的完成品與步驟3中的完成品，共同攪拌均勻。

❺太白粉預先烤熟，把❹中完成的麵糰拿至桌面，以烤乾的太白粉當手粉，將麵糰分割(大小自行決定)用手壓平、整型。

❻在壓平的麵糰內包入紅豆餡，收口完成後，再沾裹太白粉即完成。也可以自己再裝飾一些花樣(太白粉可用150度烤3分鐘即可)。

MILK CAKE

牛 奶 糕

材料

● 注意事項

1.熟粉的作法是：將麵粉放入蒸籠內蒸20分鐘，熟後待溫，再用粉篩過濾。

2.糕糖的作法，可參考 P. 61。

3.綠豆餡的作法，請參考 P.62。

牛奶糕 MILK CAKE

● **材料**

糕粉200ｇ、熟粉500ｇ、奶粉100ｇ、糕糖600ｇ、
沙拉油100ｇ、綠豆餡適量

● **份量**

約40個

❶先將材料中的糕粉、熟粉、奶粉預先用擀麵棍擀(或攪拌)均勻。

❷在攪拌均勻的糕粉中加入糕糖後，用手繼續攪拌搓勻。

❸再加入沙拉油，一直攪拌到均勻。

❹再用擀麵棍不停地擀均勻。

❺準備粉篩，將糕粉用粉篩過濾二次。

❻將過濾二次的糕粉均勻倒入模型內，先倒一半滿，再用手輕輕壓擠，再加入綠豆餡。

❼再倒入另一半的糕粉，用手輕壓，然後，用刮板清理模型的四周。

❽準備脫模，將蠟紙備好，輕輕將糕餅倒扣在蠟紙上。

❾將脫模完成的牛奶糕放入蒸籠，以小火蒸2分鐘至熟即可。

MUNGBEAN CAKE

綠豆糕

材料

● **注意事項**

1. 熟粉的作法是：將麵粉放入蒸籠內蒸20分鐘，熟後待溫，再用粉篩過濾。

2. 糕糖的作法，請參考 P. 61。

3. 烏豆沙餡作法，請參考 P. 64。

綠豆糕　MUNGBEAN CAKE

● 材料

糕糖120ｇ、熟粉70ｇ、綠豆粉30ｇ、糕粉15ｇ、麻油(黑)50ｇ、烏豆沙餡100ｇ

● 份量

約20個

❶將材料中的1～4項預先攪拌均勻。

❷再用擀麵棍盡量把糕粉擀均勻。

❸在擀均勻的糕粉內加入麻油(黑)。

❹再用擀麵棍把加入麻油的糕粉擀均勻。

❺準備粉篩,將糕粉用粉篩過濾三次。

❻直到糕粉被篩濾成細粉狀,才算完成。

❼準備模型,先將步驟6中完成的極細糕粉,倒入模形一半,然後,加入烏豆沙餡。

❽再加入另一半的糕粉,用手輕壓,然後,用刮板清理模型的四周。

❾再用手輕輕將糕粉表面壓平。

❿準備輕輕移開模型,將完成的綠豆糕脫模。

⓫將綠豆糕放在蒸籠上,小火蒸2分鐘即成。

RICE TURTLE

麵 龜

材料

● 注意事項

1. 老麵糰的作法可參照 P. 9。
2. 紅豆餡的作法，請參考 P.63。

● 份量

約10個

麵龜　RICE TURTLE

● 材料

A料：中筋麵粉600 g、
細砂糖110 g、鹽3 g、
奶油6 g、沙拉油3 g、
乾酵母10 g、冰水300
g、鹼粉1.5 g、老麵糰
100 g

B料：紅豆餡500 g、紅
花米適量

❶將材料(A)的中筋麵粉、
細砂糖、鹽、奶油、沙拉油
、乾酵母、冰水、鹼粉倒
入鋼盆內攪拌均勻。

❷將攪拌均勻的麵糰拿
出，放在砧板上，將麵糰
搓開，加入老麵糰繼續攪
拌均勻至麵糰表面光滑。

❸將❷完成的麵糰，放置
軟化20分鐘，麵糰會膨脹
至半倍大。

❹用擀麵棍(也可用饅頭壓
麵機)壓平後再對摺，再壓
平，再對摺，至麵皮光滑
即可。

❺將麵糰分割成每個重約
100 g，搓圓後覆上保鮮
膜，醒麵10分鐘。

❻醒過的麵糰較軟，用手
輕輕壓平後，包入餡料約
50 g。

❼然後，收口整形，由底
部捏起後，由中間壓低，
再左右輕拉搓。

❽再將❼中完成的麵糰，
放正面用手壓平。

❾將完成的麵龜底部舖蠟
紙，放蒸籠內發酵約30分
鐘，至麵皮軟化(發酵)。

❿紅花米調水，用毛刷在
麵皮上擦拭均勻。

⓫再放入滾水蒸約15分鐘
即可。

STEAMED SPONGE CAKE
馬 來 糕

材料

● 份量

約8吋1個

馬來糕 STEAMED SPONGE CAKE

● 材料

A料：蛋清160 g、白醋5 g、細砂糖150 g、蛋黃80 g、奶水100 g、地瓜100 g、玉米澱粉10 g

B料：低筋麵粉80 g、在來粉120 g、泡打粉10 g

❶先將蛋清和醋預先打到4分發。

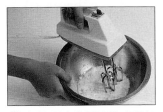

❷然後，加入細砂糖打至7分發後，完成備用。把蛋清裝入量杯1杯平，連杯子秤重量，85 g表示7分發。

❸將蛋黃用電動攪拌器，以中速打到呈乳白色。

❹再加入奶水攪拌均勻備用。

❺將地瓜洗淨，削皮，切片狀，上蒸籠蒸熟後，拌成泥備用。

❻將材料(B)中的低筋麵粉、在來粉、泡打粉用粉篩過濾均勻後倒入步驟2中完成打發的鋼盆內。

❼在這個步驟中，要將倒入的低筋麵粉、在來粉、泡打粉與打發的蛋清共同攪拌均勻至有黏性。

❽在完成的步驟7中倒入❹中完成的蛋黃奶水。

❾再將二者攪拌均勻即可。

❿先將攪拌好的麵糊放置5分鐘，等氣泡消失再攪拌均勻。模型底鋪紙，將麵糊倒入，裝8分半滿。

⓫將麵糊放入蒸籠內，等水煮開後，再放置滾水上蒸約12～20分鐘至熟。

THE METHODS & USAGE OF CAKE SUGAR & STUFFING

糕糖 & 餡料的用途與作法

〈 糕糖的製作與用途 〉

顧名思義，「糕糖」就是做「牛奶糕」、「綠豆糕」、「花生糕」使用的材料中最重要的一道。如果在製作過程中，捨「糕糖」而改用細砂糖，做出來的糕點不論是口感或味道都不對。

「糕糖」也不是「麥芽」，它是細砂糖與麥芽高溫煮溶後，再不停攪拌至呈白稠狀的黏稠物；完成後的「糕糖」不可以馬上使用，必須等一個月後再使用，因為，「糕糖」放愈久，做出來的糕點就愈鬆軟。一般口碑較好的西餅店，店裡面的老師傅都較偏愛用道地的「糕糖」來做糕餅，他們做出來的糕餅也許不怎麼「秀色」，但是，保證入口的感覺與機器調製出來的糕餅絕對截然不同。所以，聰明的讀者現在應該明瞭如何去分辨與購買了吧！

〈 餡料的製作與用途 〉

中國人的應酬方式向來繁複，禮尚往來已是社會活動的一部份，因此坊間糕餅店得以代代相傳至今。而綠豆餡、綠豆餡與烏豆沙餡等更傳承了這類糕點做餡手藝的技術。

本書 62～64 頁將為讀者介紹以上三種餡料的作法，其特性則簡介於下：

綠 豆 餡—— 適用綠豆椪、甜點；此餡口感鬆軟滑口，常溫存放冰箱，不可超過三天。

紅 豆 餡—— 適合麵包、羊羹、年糕使用；此餡性質較溼，可存放冰箱約30天。

烏豆沙餡——適合糕點、點心；可存放冰箱約30天。

糕糖&餡料的用途與作法 THE METHODS & USAGE OF CAKE SUGAR & STUFFING

●**材料：**細砂糖600 g、麥芽100 g、清水180 g、濕酵母5g

●**注意事項：**糕糖完成，可放置一個月後再操作，放越久，做出的糕點越鬆軟。

❶先將細砂糖、麥芽、清水共煮，煮的過程中，要注意鋼盆邊產生的氣泡需擦拭。

❷待溫度達到115度後，離火。

❸等溫度慢慢降至100度時，加入濕酵母用木棍不停的攪拌。

❹拌至冷卻且呈白稠狀，即完成糕糖的作法。

綠豆餡 MUNGBEAN STUFFING

● **材料**：綠豆(脫皮)300ｇ、細砂糖150ｇ、鹽0.5ｇ、蛋黃1個、奶油20ｇ

● **注意事項**：餡如要操作，需再搓過。

❶先將綠豆洗淨後，泡水約3小時。

❷再將泡過水的綠豆放入鍋中煮熟後，慢慢攪成糊狀(或用調理機)備用。

❸在❷中加入細砂糖、鹽，以慢火繼續攪拌至稠狀。

❹加入蛋黃繼續攪拌，不熄火。

❺再將奶油分二次加入攪拌。

❻攪拌至奶油與綠豆沙均勻即成。

紅豆餡 RED BEAN STUFFING

●**材料：**紅豆600ｇ、細砂糖350ｇ、鹽1ｇ、奶油30ｇ、香草片1片

●**注意事項：**餡如要操作，需再搓過。

❶先將紅豆洗淨後，浸水4小時。

❷再放入電子鍋中煮至有香味溢出，至豆軟後，拿出。

❸在取出煮熟的軟紅豆內加入細砂糖、鹽攪拌。

❹再加入奶油及預先磨碎的香草片以中火續煮。

❺在煮的過程中，要繼續攪拌。

❻攪拌至呈黏性即成。

烏豆沙餡 Red Bean MASHED

● **材料：**紅豆450ｇ、細砂糖225ｇ、麥芽50ｇ、鹽1ｇ、奶油40ｇ、開水10ｇ

● **注意事項：**餡如要操作，需再搓過。

❶紅豆洗淨浸4小時再放進電鍋(快鍋)煮至熟軟(煮時，水分要夠多)。

❷將熟軟的紅豆用調理機打成泥狀，再將細砂糖、麥芽、鹽加入鋼盆內。

❸將❷中的材料一起煮開，起泡後，以中火不停攪拌至有黏性。

❹奶油分2次加入攪拌至均勻。

❺開水也分2次加入攪拌均勻。

❻攪至均勻，呈糊狀後，離火、拿出，即成。